JEUNESSE

Collection dirigée par
Marie-Josée Lacharité

De la même auteure chez Québec Amérique

Jeunesse

SÉRIE CHARLOTTE

La Fabuleuse Entraîneuse, coll. Bilbo, 2007
L'Étonnante Concierge, coll. Bilbo, 2005.
Une drôle de ministre, coll. Bilbo, 2001.
Une bien curieuse factrice, coll. Bilbo, 1999.
La Mystérieuse Bibliothécaire, coll. Bilbo, 1997.
La Nouvelle Maîtresse, coll. Bilbo, 1994.

La Nouvelle Maîtresse, Livre-Disque, 2007

SÉRIE ALEXIS

Macaroni en folie, coll. Bilbo, 2009.
Alexa Gougougaga, coll. Bilbo, 2005.
Léon Maigrichon, coll. Bilbo, 2000.
Roméo Lebeau, coll. Bilbo, 1999.
Toto la brute, coll. Bilbo, 1998.
Valentine Picotée, coll. Bilbo, 1998.
Marie la chipie, coll. Bilbo, 1997.

SÉRIE MARIE-LUNE

Pour rallumer les étoiles – Partie 2, coll. Titan+, 2009.
Pour rallumer les étoiles – Partie 1, coll. Titan+, 2009.
Un hiver de tourmente, coll. Titan, 1998.
Ils dansent dans la tempête, coll. Titan, 1994.
Les grands sapins ne meurent pas, coll. Titan, 1993.

La Grande Quête de Jacob Jobin, Tome 2 – Les Trois Vœux,
    coll. Tous Continents, 2009.
La Grande Quête de Jacob Jobin, Tome 1 – L'Élu,
    coll. Tous Continents, 2008.
Ta voix dans la nuit, coll. Titan, 2001.
Maïna, Tome II – Au pays de Natak, coll. Titan+, 1997.
Maïna, Tome I – L'Appel des loups, coll. Titan+, 1997.

Adulte

*Au bonheur de lire, Comment donner le goût de lire à son enfant
    de 0 à 8 ans*, coll. Dossiers et Documents, 2009.
Pour rallumer les étoiles, coll. Tous Continents, 2006.
Le Pari, coll. Tous Continents, 1999.
Marie-Tempête, coll. Tous Continents, 1997.
Maïna, coll. Tous Continents, 1997.
La Bibliothèque des enfants, Des trésors pour les 0 à 9 ans,
    coll. Explorations, 1995.
Du Petit Poucet au Dernier des raisins, coll. Explorations, 1994.

Une gouvernante épatante

Catalogage avant publication de Bibliothèque et Archives nationales
du Québec et Bibliothèque et Archives Canada

Demers, Dominique
Une gouvernante épatante
(La série Charlotte ; 7)
(Bilbo ; 181)
Pour les jeunes.
ISBN 978-2-7644-0739-4
I. Titre. II. Collection : Demers, Dominique. Série Charlotte ; 7.
III. Collection : Bilbo jeunesse ; 181.
PS8557.E468G68 2010   jC843'.54   C2009-942330-8
PS9557.E468G68 2010

Conseil des Arts   Canada Council
du Canada   for the Arts

SODEC
Québec ::

Nous reconnaissons l'aide financière du gouvernement du Canada
par l'entremise du Programme d'aide au développement de l'industrie
de l'édition (PADIÉ) pour nos activités d'édition.

Gouvernement du Québec – Programme de crédit d'impôt pour
l'édition de livres – Gestion SODEC.

Les Éditions Québec Amérique bénéficient du programme de subvention
globale du Conseil des Arts du Canada. Elles tiennent également à
remercier la SODEC pour son appui financier.

Québec Amérique
329, rue de la Commune Ouest, 3e étage
Montréal (Québec) H2Y 2E1
Téléphone : 514-499-3000, télécopieur : 514-499-3010

Dépôt légal : 1er trimestre 2010
Bibliothèque nationale du Québec
Bibliothèque nationale du Canada

Révision linguistique : Annie Pronovost et Chantale Landry
Mise en pages : Karine Raymond
Conception graphique : Nathalie Caron

Tous droits de traduction, de reproduction et d'adaptation réservés

Une gouvernante épatante

DOMINIQUE DEMERS

QUÉBEC AMÉRIQUE jeunesse

À Yves Raymond,
en remerciant le Grand magicien du
monde de l'avoir mis sur ma route.

-1-

Sorcière ou fée?

J'ai failli m'étouffer de surprise lorsque M. Bousille, notre majordome, a tourné les talons. C'est lui qui avait conduit Mlle Charlotte jusqu'au grand salon où ma mère et moi l'attendions.

Maman n'a rien vu parce qu'elle consultait son agenda électronique. Moi, par contre, j'ai été témoin d'une scène très étonnante.

Pendant que notre majordome se dirigeait vers la porte, Mlle Charlotte a fait une grosse grimace dans son dos. Une vraie grimace avec la langue sortie ! Si ma mère avait levé les yeux de son agenda à ce moment-là, Mlle Charlotte n'aurait jamais obtenu le poste de gouvernante.

Mlle Charlotte est grande, maigre et plutôt vieille. Elle porte une longue robe bleue à l'ancienne et elle est coiffée d'un immense chapeau noir, un peu comme un chapeau de sorcière, mais avec une petite bosse ronde au lieu d'un long bout pointu sur le dessus.

Je savais que ma mère, Doris Dégourdy, n'aimait aucune des quatre candidates que nous avions rencontrées jusque-là. La première manquait de savoir-vivre, la deuxième d'initiative, la troisième d'intelligence et la quatrième de jugement.

J'étais donc persuadé que maman trouverait cette Mlle Charlotte un peu trop... bizarre. Mais lorsque ma mère s'est décidée à la regarder, Mlle Charlotte lui a adressé un sourire tellement lumineux que maman n'a pu s'empêcher de sourire à son tour.

La candidate numéro cinq a très bien répondu aux premières questions. Elle disait adorer tant les enfants que les adolescents et accorder beaucoup d'importance à la lecture. Elle avait déjà enseigné et elle avait été bibliothécaire en plus.

Maman était enchantée. Elle allait poursuivre avec d'autres questions lorsque son cellulaire a émis un son particulier. C'était le signal d'urgence du Centre de radio-astronomie où elle travaille.

— Je dois malheureusement vous quitter, a annoncé maman. Mon fils, Alexandre, que j'initie présentement à l'art de l'entrevue, poursuivra la conversation avec vous.

Dès que la porte du grand salon s'est refermée derrière ma mère, Mlle Charlotte a poussé un gros soupir de soulagement.

— Ouffff ! Je suis contente d'être enfin seule avec toi, Alexandre, m'a-t-elle confié, les yeux brillants. Dis-moi tout, maintenant ! Tes rêves, tes idées, tes projets, tes secrets…

J'étais bouche bée. Jamais une gouvernante ne m'avait parlé de cette manière.

Le sourire de Mlle Charlotte s'est éteint. Elle semblait très déçue par mon manque d'enthousiasme.

— Tu préfères peut-être la dame qui s'est présentée juste avant moi ? C'est dommage… Tu aurais beaucoup plus de plaisir avec moi !

J'ai cru bon d'apporter quelques explications.

—Mes parents cherchent une gouvernante pour superviser l'éducation de leurs quatre enfants : Marie, Albert, Didi et moi. Notre gouvernante doit veiller à ce que nous accomplissions tout ce que nos parents attendent de nous. Nous ne sommes pas censés nous amuser…

Mlle Charlotte n'a rien ajouté, mais elle semblait horrifiée.

—Vous… euh… à votre avis, une gouvernante, ça fait… *quoi* ? lui ai-je demandé.

—Les autres, je ne sais pas… Moi…

Mlle Charlotte a jeté un regard à gauche puis à droite comme pour s'assurer que nous étions vraiment seuls.

—J'ajoute du *spling* dans la vie des enfants !

J'allais l'interroger sur la défini-
tion de ce mot lorsque maman est
réapparue.

— Fausse alarme ! a-t-elle déclaré. Pardonnez-moi cette inter-
ruption.

Doris Dégourdy, astrophysi-
cienne réputée, épouse d'Hubert
Humbert, génie en électronique
de renommée mondiale, s'est alors
tournée vers moi :

— Que proposes-tu, Alexandre ?
Crois-tu que Mlle Charlotte vous
ferait une bonne gouvernante ? Tes
frères et sœurs seraient-ils d'accord ?

J'étais bien embêté. Mlle Charlotte me plaisait beaucoup et je
savais que Marie, Albert et Didi
l'aimeraient eux aussi. Mais j'étais
persuadé que maman n'approuve-
rait pas du tout sa vision du rôle
de gouvernante.

Ma mère me regardait. Je ne voulais pas la décevoir. Mlle Charlotte m'observait aussi. J'avais très envie qu'elle reste.

—Préfères-tu que Mlle Charlotte se retire afin que nous discutions? a suggéré maman.

C'est là que mon regard a croisé celui de Mlle Charlotte et j'ai été… comme hypnotisé!

—Je crois que Mlle Charlotte serait une parfaite gouvernante, me suis-je entendu répondre.

Les mots étaient sortis de ma bouche sans que je réfléchisse.

À cet instant précis, j'ai pensé que cette Mlle Charlotte était peut-être un peu sorcière… ou fée!

Le pire, c'est que je n'avais pas tout à fait tort.

-2-

Un parfum
de pissenlit

Tous les mercredis, à 18 h 30 pile, mon père, Hubert Humbert, nous donne des cours de physique électronique. Ce soir-là, à 18 h 59, comme d'habitude, il avait terminé son exposé.

—Chers enfants, je vous remercie de votre attention et je vous souhaite une très agréable soirée, a-t-il dit.

Mon père nous parle toujours comme ça. C'est un grand savant, un peu loin des enfants.

Sitôt papa parti, M. Bousille, notre majordome, nous a informés que nos parents recevaient « de très distingués invités » pour la soirée. Normalement, dans ces cas-là, nous mangeons avec Mlle Anastasie, notre cuisinière. Malheureusement, elle a congé le mercredi et Basile Bousille a décidé de la remplacer.

Notre majordome est détestable. Alors que nos parents sont sévères parce qu'ils croient que c'est bon pour nous, Bousille, lui, est sans pitié juste pour nous embêter.

Et c'est un hypocrite ! Devant nos parents, il est toujours plus gentil que lorsqu'il est seul avec nous. Ma sœur Marie et moi l'avons rebaptisé Fesses Pincées, parce qu'il marche le corps raide comme un poteau.

Dès que Fesses Pincées nous a eu quittés, Didi, ma sœur de cinq ans, s'est jetée sur moi :

— Je veux savoir ! Elle est comment ?

— Bof ! On s'en fout ! a protesté ma sœur aînée.

— De toute façon, que notre gouvernante soit jeune ou vieille, belle ou laide, drôle ou pas, ça ne changera rien à notre horaire, a fait remarquer Albert, mon jeune frère.

Lui, c'est le bolé de la famille. S'il existait des machines pour mesurer l'intelligence, il les briserait tellement il est brillant. Albert est le seul à ne pas trop souffrir des exigences de nos parents. Et le seul à ressembler au personnage célèbre à qui il doit son prénom : Albert Einstein, le plus grand génie scientifique du siècle dernier.

Je n'ai rien pu ajouter, parce que Fesses Pincées est venu nous avertir que le repas était servi.

Notre majordome a attaqué son foie de pintade au céleri sans même nous souhaiter bon appétit. Didi faisait pitié. Elle avait envie de pleurer parce qu'elle déteste le foie de pintade. Elle dit que ça goûte la crotte de poule. Je n'ai jamais mangé de crotte de poule, mais je crois qu'elle a raison.

Je mastiquais lentement ma première bouchée lorsque Mlle Charlotte est arrivée. On aurait dit qu'un rayon de soleil déguisé en ouragan venait d'entrer dans la cuisine.

—Bonjour, tout le monde ! a-t-elle déclaré en faisant une révérence comique suivie d'une pirouette encore plus hilarante.

Fesses Pincées s'est levé, outré.

—Je vous ai remis votre horaire, Mademoiselle. Ce soir, vous
dînez avec les domestiques, lui
a-t-il rappelé.

—Bien sûr, M. Fesses… euh…
M. Bousille. Je suis seulement ve-
nue vous avertir qu'il se passe
quelque chose d'inquiétant à
l'étage, près de votre chambre.

Fesses Pincées s'est précipité
hors de la pièce. Mlle Charlotte
nous a adressé un clin d'œil espiègle et, de l'index, elle a désigné
nos assiettes. Puis, elle est repar-
tie.

—Elle veut qu'on regarde sous
notre assiette, a expliqué Didi en
soulevant la sienne.

Ma sœur avait bien deviné.
Nous avions tous un petit carton
d'invitation :

> **Rendez-vous au grenier
> à 21 heures.
> Crapoutis au menu.
> Vous êtes priés
> d'apporter un rêve.**
>
> **Mlle Charlotte**

Didi a reniflé le carton.

— C'est parfumé. Ça sent le pissenlit ! a-t-elle déclaré.

— Elle est folle ou quoi ? a demandé Albert en me dévisageant.

— Pfffttt ! a répondu Marie. On s'en fout, non ?

Moi, en tout cas, je ne m'en fichais pas. Je trouvais notre nouvelle gouvernante pas mal épatante.

-3-

Confidences
et crapoutis

Nous avons profité de l'absence de Fesses Pincées pour jeter nos foies de pintade à la poubelle.

À son retour, notre majordome était furieux : la toilette de sa chambre avait mystérieusement débordé ! Nous avons avalé notre flanc au riz blanc sans discuter, puis nous nous sommes éclipsés dans nos chambres pour fuir sa mauvaise humeur.

Il a fallu attendre la tournée de nos parents avant de monter au grenier. Tous les soirs, Doris Dégourdy et Hubert Humbert accordent un peu de temps à leurs enfants. Ça dure exactement seize minutes : quatre enfants fois quatre minutes. Nos parents sont des gens très occupés.

Ils commencent par Didi et terminent avec Marie. Ils nous félicitent pour nos bons coups, mentionnent nos comportements moins brillants, puis nous souhaitent « bonne nuit » avant de déposer un baiser sur notre front.

À 20 h 50, c'était terminé. J'ai attendu trois minutes avant d'aller frapper à la porte de Didi puis à celle d'Albert, qu'il a fallu arracher à son livre de microbiologie. Marie ne voulait pas venir. J'ai dû promettre de l'aider à vider son assiette la prochaine fois qu'il y aurait du lapin au menu pour qu'elle accepte de nous suivre.

Je me demandais ce que Mlle Charlotte pouvait bien fabriquer au grenier. C'est un grand débarras où mes parents entassent des vieilleries. Des skis de bois qui ont appartenu à leurs parents, des chaises brisées, des lampes à réparer… Tout ce qui est rangé là finit par être oublié.

Didi a poussé un cri de ravissement en ouvrant la porte. Nous avions tous les yeux ronds comme des colimaçons. Le grenier était éclairé par un nombre inouï de bougies. C'était très joli. Mlle Charlotte avait installé cinq couverts dépareillés sur une grande nappe fleurie. Dans chaque assiette, il y avait cinq boulettes de la taille d'une balle de ping-pong. J'en ai déduit que ça devait être des crapoutis.

Notre nouvelle gouvernante n'a même pas jeté un regard vers nous. Elle semblait trop occupée… à parler. Pourtant, à part nous, il n'y avait personne au grenier !

—Tu as hâte de les rencontrer, hein, ma belle Gertrude ? murmurait Mlle Charlotte à un objet dans sa main. Bien sûr qu'ils sont gentils… Un jour, je te les présenterai. Mais pas ce soir. On ne se connaît pas encore assez…

Mlle Charlotte a soulevé délicatement son chapeau et elle a déposé l'objet sur sa tête. Puis, elle a replacé son chapeau et lissé tranquillement un pli de sa robe avant de s'adresser à nous :

—Je suis ravie de vous voir ! a-t-elle lancé. Ce grenier nous servira de lieu de rendez-vous. D'accord ?

Didi a hoché la tête en s'installant devant un couvert. Albert, Marie et moi l'avons imitée. Nous étions trop étonnés pour parler.

— Je vous ai préparé des crapoutis, une de mes collations préférées, a continué Mlle C. Mais avant que vous y goûtiez, j'aimerais beaucoup que chacun de vous m'offre un rêve secret.

— Quelle sorte de rêve secret ? a demandé Marie, méfiante.

— Ce qui vous plaît, a répondu Mlle Charlotte. Un souhait ou un projet, une idée de métier, d'aventure, de voyage…

— Moi, mon rêve, c'est d'être une vraie princesse ! a annoncé Didi sur un ton fervent.

Nous avons tous éclaté de rire. Sauf Mlle Charlotte. Elle a posé à Didi une foule de questions sur son rêve. Ma petite sœur s'est mise à décrire avec beaucoup de détails le prince qu'elle voulait rencontrer, le château où ils vivraient et la robe de bal qu'elle porterait. Pour une puce de cinq ans, franchement, c'était impressionnant.

— Mon rêve à moi, c'est de devenir aussi célèbre qu'Einstein, a poursuivi Albert.

— Il va sûrement réussir, a confirmé Marie. Albert a la bosse des sciences. Moi, pas du tout! Mes parents sont déçus parce que je ne serai jamais comme Marie Curie, la fameuse physicienne qu'ils m'ont choisie pour modèle. Elle a reçu deux fois le prix Nobel alors que moi, je suis poche dans toutes les matières…

Mlle Charlotte n'a rien dit. Elle s'est contentée de regarder Marie avec l'air de comprendre parfaitement ce qu'elle ressentait. À ma grande surprise, ma sœur a esquissé un petit sourire ému.

Mon cœur battait très fort. Dans l'ordre où nous étions assis, c'était à mon tour de parler. Seule Didi connaissait mon rêve…

Mlle Charlotte m'observait. Je sentais qu'elle ne se moquerait pas de moi. Ça m'a donné du courage.

—Je rêve d'être acrobate au Cirque du Soleil, ai-je annoncé. C'est ce que je veux le plus au monde !

J'ai pris une bonne inspiration avant d'ajouter :

—Mais je sais que c'est impossible…

—Pourquoi ?! s'est étonnée Mlle Charlotte.

—Papa et maman veulent que chacun de nous devienne quelqu'un d'important « qui contribue à améliorer le sort de l'humanité ». Le genre de personne qui gagne un prix Nobel ou devient chef d'un pays. Pas un artiste de cirque.

— Pourtant, les artistes aussi améliorent la vie des gens, a fait valoir Mlle Charlotte.

— Comment ? ai-je demandé.

— En injectant du *spling* !

-4-

Du *spling*!

Et c'est… *quoi*, exactement?
— s'est informée Marie.

— Le *spling*? C'est tout ce qui ensoleille, embellit, réjouit, émerveille. C'est très important. Ça change la vie des gens.

Je comprenais parfaitement. Quand je vois un acrobate effectuer un double salto entre ciel et terre, je suis transporté. J'ai l'impression que tout est possible. Je me sens heureux, puissant et merveilleusement vivant.

Les autres aussi semblaient comprendre. Ils ne regardaient plus

Mlle C. comme si elle était complètement capotée.

— Est-ce qu'on peut goûter aux crapoutis, maintenant ? s'est impatientée Didi.

Mlle Charlotte n'a pas répondu. Elle s'est tournée vers Marie qui n'avait pas encore parlé de son rêve.

— Je n'ai pas envie de raconter mes secrets à quelqu'un que je ne connais même pas, a protesté ma sœur aînée.

— Tu as raison, a admis Mlle Charlotte. Un secret, c'est précieux. On a le droit de vouloir le garder pour soi.

Notre gouvernante a réfléchi un long moment avant d'ajouter :

— Si je te confie mon plus grand rêve, accepteras-tu de partager un des tiens ?

On aurait pu entendre une mouche respirer. Nous attendions tous la réponse de Marie.

— Bon. D'accord, a-t-elle finalement cédé.

J'ai pensé que Mlle Charlotte l'avait peut-être hypnotisée. Didi, Albert et moi avons applaudi. Nous étions très curieux de connaître le secret de Marie. Et celui de Mlle Charlotte aussi.

-5-

Timothée

Mon vœu le plus cher — est de revoir Timothée, a commencé Mlle Charlotte d'une voix rêveuse.

Notre nouvelle gouvernante nous a raconté une histoire d'amour. Une histoire tellement belle, mais tellement triste aussi que Marie pleurait à la fin. Moi, j'avais une grosse boule dans la gorge et Albert regardait le sol, trop ému pour montrer son visage. Didi s'est blottie contre Mlle Charlotte et elle a posé sa petite main potelée sur son épaule, comme pour la consoler.

Avant de prendre la parole à son tour, Marie a poussé un soupir qui semblait venir de très loin.

—Je rêve de changer de parents, a-t-elle déclaré.

Je n'étais pas surpris. Marie en avait assez de nos horaires militaires bourrés de devoirs, d'études et de leçons. Moi aussi, d'ailleurs, mais je n'irais quand même pas jusqu'à changer de parents.

N'importe quel adulte normal aurait dit à Marie que ce n'est pas bien de vouloir se débarrasser de ses parents. Mlle Charlotte est différente. Elle a contemplé Marie longuement, puis, d'une voix infiniment douce, elle a murmuré :

—Je te comprends.

On ne pouvait pas douter de sa sincérité.

—Si tu veux, je peux t'aider, a-t-elle ajouté.

—Co… comment ? a bredouillé Marie.

Pour toute réponse, Mlle Charlotte a esquissé un large sourire pendant que Marie la dévisageait comme si c'était le père Noël ou la fée des Étoiles.

—On peut, maintenant ? a insisté Didi, un crapouti dans la main.

—À l'attaque ! a lancé Mlle Charlotte, les yeux pétillants.

J'ai mordu dans une boulette. C'était délicieux.

Mlle C. nous a donné la recette. C'est tout simple ! Les crapoutis sont des sandwiches écrapoutis. Après les avoir garnis de ce qui nous plaît, on les écrabouille puis on les roule en petites boules.

Mon premier était à la noix de coco, à la banane et au caramel.

Mon deuxième à la réglisse, au chocolat et au miel. Miammmm!!!

Didi s'est endormie dans les bras de Mlle C. après son premier crapouti. Marie est allée la porter dans son lit.

Moi, j'ai dévoré tous mes crapoutis et ceux de Didi en plus. Il faut des forces pour devenir acrobate! Or, pour la première fois de ma vie, je me surprenais à oser croire que mon grand rêve n'était peut-être pas totalement impossible.

-6-

Cosinus et Linguini

D'habitude, nos gouvernantes supervisent nos activités sans y participer. Mais dès notre première journée avec Mlle C., nous avons compris que TOUT allait être différent, désormais.

Ce matin, à 6 h 30, nous avions une session de mise en forme avec maman dans la salle d'exercice. Mlle Charlotte a suggéré que nous allions dehors. Le temps était splendide. Maman a été très surprise de voir Mlle Charlotte retrousser sa robe pour jogger avec nous.

Après le jogging, nous faisons toujours des redressements assis. Comme tous les matins, maman en a réussi cent. À notre grande stupéfaction, Mlle Charlotte en a fait autant. Et elle n'était même pas essoufflée! Maman était vraiment très impressionnée.

Nous avons ensuite pris notre petit-déjeuner à la cuisine avec Mlle C. Au menu: jus de pamplemousse, céréales non sucrées, pain aux graines de lin et pruneaux au sirop.

Notre cuisinière préparait des cailles farcies pour le repas de midi. Quand Mlle Charlotte l'a vue plonger une caille dans le bouillon, elle s'est mise à hurler comme si on l'avait poignardée.

— AAAAAAHHHHHH!

Mlle Anastasie a failli renverser sa casserole. Marie s'est jetée sur le téléphone pour composer le 9-1-1. Nous pensions que notre gouvernante allait mourir d'une crise cardiaque.

Pas du tout! Elle était seulement émue.

—Pauvres petits oiseaux! Pauvres, pauvres petits oisillons, gémissait-elle à répétition.

—C'est ridicule! s'est défendue Mlle Anastasie.

Malgré tout, après la crise de Mlle Charlotte, on aurait dit que notre cuisinière hésitait à plonger les cailles dans sa marmite.

Après, nous avions un cours avec Constant Cosinus, notre professeur de mathématiques. Normalement, pendant que nos professeurs nous donnent une leçon, la gouvernante aide Didi à faire des exercices d'initiation.

Mlle Charlotte a remis un grand cahier à Didi en lui soufflant quelques mots à l'oreille. Ma petite sœur était aux anges. Elle s'est mise à dessiner des robes de princesse sur les pages de son cahier. J'ai bien peur que Didi ne suive pas les traces de la célèbre Indira Gandhi de qui nos parents se sont inspirés pour lui trouver un prénom.

Notre gouvernante s'est installée devant M. Cosinus et elle a rêvassé pendant toute la durée de ses explications. Après, notre professeur nous a soumis un problème. Mlle Charlotte s'est mise à gribouiller des chiffres tout en dessinant n'importe quoi : un soleil, un visage qui sourit, des fleurs, des moutons…

Constant Cosinus fulminait et nous avions le fou rire. Mais lorsqu'il nous a demandé les solutions, seule Mlle Charlotte avait la bonne réponse.

À l'heure du lunch, surprise ! Nous avons eu droit à des sandwiches à la confiture et au beurre d'arachides pendant que papa et ses confrères de réunion mangeaient leurs cailles farcies. Mlle Anastasie a sans doute eu peur que notre gouvernante fasse une crise d'apoplexie.

Mlle Charlotte dégustait tranquillement son thé lorsque Albert a mentionné que nous avions une leçon avec M. Linguini en après-midi.

— Ah non ! Je croyais que c'était fini, a protesté Mlle Charlotte, désespérée.

M. Linguini a été mortellement ennuyeux. Mlle Charlotte bâillait si fort que les feuilles de nos cahiers tremblaient. Au milieu de la leçon, notre gouvernante s'est mise à ronfler comme une ogresse qui vient de dévorer une douzaine d'enfants.

Dès le premier vrombissement, M. Linguini a pâli. Puis, il a commencé à bégayer en faisant des grimaces. Il plissait le nez, clignait des yeux, ouvrait la bouche à la manière d'un poisson et bougeait la tête de gauche à droite comme une marionnette qui fait non.

Notre professeur était victime d'une grave attaque de nervosité. Il tenait une craie dans une main et un livre dans l'autre. Soudain, les deux objets sont tombés sur le plancher.

Mlle Charlotte s'est réveillée juste à temps pour voir M. Linguini partir en poussant des cris d'otarie tellement il était énervé.

— Qu'est-ce qui lui prend ? s'est étonnée Mlle C. Le cours est fini ?

Elle s'est frotté les yeux et un immense sourire a illuminé son visage.

— Fiou ! Alors, allons-y !

— Où ? a demandé Albert, méfiant.

— Au bout du monde ! a répliqué Mlle C.

-7-

Au bout
du monde

— **L**e bout du monde n'est pas bien loin ! a bougonné Marie lorsque Mlle Charlotte s'est arrêtée dans le petit boisé derrière la maison.

Notre gouvernante s'est assise sous un arbre, elle a fermé les yeux et elle a humé les parfums du printemps. On aurait dit que le simple fait de remplir ses poumons d'air la comblait de bonheur.

Puis, Mlle Charlotte a soulevé son chapeau et nous avons enfin découvert l'objet qu'elle dissimulait en dessous. C'était une roche. Un vulgaire caillou !

Mlle Charlotte l'a pris dans sa main, comme si c'était quelque chose de très précieux et d'extrêmement fragile.

— Alors, ma belle Gertrude, où allons-nous aujourd'hui ? a-t-elle demandé à sa roche.

Marie a levé les yeux au ciel. Albert a poussé un long soupir de découragement. Seule Didi semblait ravie.

— L'Arctique, ça te plairait ? Non ? D'accord… Le désert, alors ? Oui ? Merveilleux !

Mlle Charlotte a regardé au loin. On aurait dit que des images défilaient dans sa tête.

— J'imagine de grands troupeaux de chameaux, a-t-elle commencé. Des animaux magnifiques ! Ils courent encore plus vite que le vent. Le soleil est brûlant. On ne voit que du sable. Et des dunes. Jusqu'au bout de l'horizon.

« Nous sommes dans un désert… Et dans ce désert, il y a une toute petite fille. Elle s'appelle Didi. C'est la première fois qu'elle monte sur le dos d'un chameau. Sa sœur Marie l'aide à grimper. C'est elle, le maître dresseur… »

J'ai observé Marie. Elle était suspendue aux lèvres de Mlle Charlotte.

— … Marie a un don avec les animaux. Elle parle leur langage, a continué Mlle Charlotte. C'est ainsi qu'elle réussit à élever les meilleurs coursiers.

« Un grand chameau galope devant Marie et Didi. Ses pattes sont longues et musclées. C'est la monture d'Alexandre. Alors même que sa bête file à vive allure, Alexandre se lève debout, en parfait équilibre sur le dos de son chameau. Il fléchit les genoux et effectue un saut spectaculaire avant de retomber sur sa monture. Alexandre prépare un numéro pour la Grande nuit étoilée, le rassemblement annuel des nomades du désert. »

Mlle Charlotte s'est arrêtée un moment.

—Et moi ? Je ne suis pas dans l'histoire ? s'est plaint mon frère Albert.

Mlle Charlotte n'a pas répondu.

—Cette nuit-là, Alexandre se réveille alors que le ciel est encore rempli d'étoiles. Il a senti quelque chose. Une menace… Les chameaux sont agités. Quelque chose ne va pas. Soudain, Alexandre aperçoit un nuage de poussière au loin.

« Des brigands ! Ils vont atta-
quer sous peu. Alexandre alerte
ses sœurs et son frère Albert. Ils
doivent se défendre. Ou se sauver.
Sinon, les voleurs vont s'emparer
de leurs bêtes. Et ces pirates du désert sont sans pitié. »

Mlle Charlotte s'est tournée
vers Albert.

— À toi, maintenant, l'a-t-elle
encouragé. Raconte-nous la suite…

-8-

Double salto !

Les brigands ont réussi une attaque surprise. Il y a eu de grands coups d'épée, une course folle dans le désert, puis une tempête de sable… Finalement, nous avons réussi à échapper aux pirates du désert grâce à moi. Et grâce à Albert…

Les voleurs de chameaux se sont laissé distraire par mes prouesses acrobatiques pendant que mes compagnons ont pris la fuite. Albert a dirigé l'opération avec brio en mettant à profit son intelligence stratégique. C'est lui qui a eu l'idée

d'une diversion et qui a tout or-
chestré par la suite.

Quand mon frère s'est tu, nous
étions encore transportés par son
histoire. Mlle Charlotte n'avait pas
menti : nous étions tous allés au
bout du monde.

C'était l'heure de rentrer. Mais
aucun de nous n'en avait envie.
Alors, Mlle Charlotte nous a lancé
un défi :

— Le dernier rendu, c'est lui qui
pue !

J'ai gagné ! Suivi de près par
Mlle C. Albert est arrivé bon dernier. Rien d'étonnant à cela : il
avait galopé jusqu'à la maison avec
Didi sur son dos, riant aux éclats.

Fesses Pincées fulminait à notre
arrivée. Il a intercepté Mlle Charlotte dans le vestibule :

— Il n'y a pas de récréation le
jeudi, a-t-il rappelé sèchement.

— Vraiment ? a répondu Mlle Charlotte tout sourire. Eh bien ! Il y en aura tous les jours, dorénavant.

Notre majordome était tellement ahuri qu'il n'a rien dit.

Mon père s'est étonné de nous voir arriver à la bibliothèque aussi joyeux et essoufflés. Tous les mercredis, en fin d'après-midi, nous passons deux heures à la bibliothèque. C'est une grande pièce remplie d'ordinateurs, de revues scientifiques, de dictionnaires, de journaux, de documents savants et de biographies de personnages importants.

Albert a choisi un exemplaire de la revue *Science et vie* et Didi un dictionnaire illustré. Marie et moi aurions eu envie de jouer à l'ordi, mais nous ne l'avons pas fait parce que tous les sites amusants ont été bloqués par nos parents.

Marie a pris un livre qu'elle ne lirait pas et moi, j'ai cueilli le journal *Ça Presse*. Je prévoyais faire une sieste, caché derrière les grandes pages, lorsque mon regard a capté une information extra-ordinaire.

École de cirque Double Salto.

Cours de haute voltige, trapèze, gymnastique aérienne. Dix ans et plus. Date limite d'inscription: le 20 juin.
517-555-0102

Mon cœur a fait un triple salto. J'avais les mains moites et la gorge sèche. J'ai noté le numéro sur un bout de papier.

J'allais téléphoner, c'est sûr. Mais comment faire pour convaincre mes parents de me laisser pratiquer des sauts et faire du trapèze ?

Notre gouvernante s'était installée dans le fauteuil à côté de moi, juste en face de papa. J'ai levé les yeux vers mon père. Il observait Mlle Charlotte d'un air stupéfait. J'ai vite compris pourquoi : elle tenait son livre à l'envers ! Le plus drôle, c'est qu'elle semblait passionnée par sa lecture.

Au bout d'un moment, elle a éclaté de rire avant de froncer les sourcils comme s'il se passait quelque chose de très inquiétant. Mon père m'a regardé. Puis il a observé Marie, Albert et Didi. Nous avions deviné que Mlle Charlotte s'inventait une histoire. Mon pauvre papa, lui, ne le savait pas.

Il s'est levé et il s'est approché de notre gouvernante. Elle n'a pas bougé.

Il a retiré le livre de ses mains. Elle n'a pas bougé davantage.

Il a pressé son épaule et l'a secouée légèrement. Mlle Charlotte s'est mise à rire. Puis, elle a éclaté en sanglots.

Papa, qui est un homme gentil, semblait vraiment désolé de voir Mlle Charlotte pleurer. Il ne savait plus comment réagir.

Didi a eu pitié de lui :

— Elle invente une histoire dans sa tête, a-t-elle expliqué.

Papa est resté immobile, les yeux fixés sur Mlle C., jusqu'à ce qu'elle émerge de son histoire.

— Pauvre monsieur Humbert ! s'est exclamée Mlle Charlotte en découvrant mon père penché sur son visage. Que se passe-t-il ? Vous semblez bien soucieux.

Mon père était éberlué.

— De toute ma vie, je n'ai jamais rencontré quelqu'un avec une telle capacité de concentration. Dommage que vous ne travailliez pas en électronique. Vous seriez douée ! a-t-il déclaré.

Mlle Charlotte l'observait comme si c'était lui, l'extraterrestre.

— Puis-je… euh… vous demander à quoi vous songiez ? a poursuivi mon père.

Mlle Charlotte l'a contemplé longuement. Elle a finalement secoué la tête d'un air navré.

— Je suis désolée. Je sais que vous êtes très intelligent, mais je crains que vous ne compreniez pas.

Il fallait voir l'air de papa ! Il ne s'était jamais fait répondre de cette manière. Il semblait tellement dépité que Mlle Charlotte a cru bon d'ajouter :

— Un jour… Peut-être…

-9-

Gertrude

— **B**onne nuit, mon beau Alexandre, a murmuré maman.

— Bonne nuit, mon grand, a ajouté papa.

Ma mère a déposé un baiser sur mon front. Mon père a ébouriffé mes cheveux. J'avais le cœur en compote lorsqu'ils ont quitté ma chambre. Je m'étais promis de leur parler de l'école de cirque. J'avais réuni tout mon courage et trouvé une foule d'arguments. Mais en entrant dans ma chambre, maman m'a félicité pour mes progrès en mathématiques.

— Tes derniers résultats me ré-
jouissent, m'a-t-elle confié. Et je
suis persuadée que tu pourrais faire
encore mieux.

Le pire, c'est qu'elle avait raison. J'avais à peine étudié. Ma
sœur Marie en arrache dans toutes
les matières. Pas moi. Je pourrais
épater mes parents si je m'y met-
tais vraiment.

— Je sais que tu nous trouves
exigeants, a poursuivi papa. Mais
nous savons que tu peux réaliser
de grandes choses et nous voulons
t'aider à y arriver. Un jour, tu seras
de ceux qui marquent l'histoire et
transforment la société.

J'ai gardé les yeux fixés sur un
point invisible. Je ne savais plus
comment aborder le sujet de l'école
de cirque.

— Je t'aime, mon fils, a déclaré
papa. Je suis fier de toi.

Là, je me suis senti tout croche. Mon père ne dit pas souvent ces choses-là.

Après, je n'arrivais pas à dormir. Le chien de notre voisin jappait. Le pauvre jappe toutes les nuits parce qu'il passe sa vie attaché. Marie dit que c'est inhumain. Elle déteste nos voisins !

Je me sentais un peu comme cet animal : prisonnier. Attaché aux rêves de mes parents. J'ai pensé à Marie. Ma sœur avait peut-être un rêve, elle aussi. Un projet excitant auquel elle renonçait pour faire plaisir à papa et maman.

Je ne sais pas ce qui m'a pris. Je me suis levé et j'ai monté l'escalier menant au grenier.

Mlle Charlotte était là. Elle semblait m'attendre. Elle avait allumé des bougies, comme la veille.

—Gertrude me parlait justement de toi, a déclaré Mlle Charlotte en m'apercevant. Tu prendras bien un peu de smalalamiam ?

Elle a versé du liquide doré dans un joli verre et me l'a tendu. C'était savoureux. Je me suis immédiatement senti mieux.

Le chien du voisin se lamentait, maintenant. On aurait dit qu'il pleurait.

—Avez-vous déjà eu un chien ? a demandé Mlle Charlotte.

—Oui. Un gros labrador noir. Il s'appelait Brutus, mais il était doux comme un chaton. Il est mort quand Didi était bébé.

Mlle Charlotte est restée silencieuse. Elle attendait que je parle.

—Qu'est-ce qu'elle disait, votre roche ? ai-je voulu savoir.

Je me trouvais déjà un peu nono de demander ça. Je me suis

senti encore plus bizarre quand Mlle Charlotte a déposé la roche dans ma main.

—Demande-lui, a-t-elle proposé.

Je ne sais pas ce qui m'a pris. Le caillou était au creux de ma main. C'était un caillou pareil à tant d'autres. Gris et rond, avec des nervures blanches.

Pourtant, étrangement, j'avais un peu l'impression qu'il était vivant. Qu'il avait quelque chose de… magique. Alors, j'ai commencé à parler.

Et j'ai parlé, parlé, parlé. J'ai confié à Gertrude mon désir fou de m'inscrire à l'école de cirque. Je lui ai expliqué ce qui m'attirait tant dans la haute voltige et comment je sentais que j'étais fait pour ça.

Gertrude n'a rien dit, bien sûr. Et Mlle Charlotte non plus. Pourtant, je savais qu'elle comprenait.

J'ai donc continué. Je leur ai confié que j'avais peur de passer à côté de mes rêves en adoptant ceux de mes parents. J'ai dit que j'avais envie d'être moi et de réaliser mes propres vœux.

Et soudain, je me suis entendu faire une promesse. Une promesse à moi-même.

— Je vais devenir acrobate, ai-je décidé. Rien ne pourra m'en empêcher.

Mlle Charlotte a applaudi.

Au creux de ma main, Gertrude est restée immobile. Mais je sentais qu'elle approuvait.

-10-

Les dix
règlements

Le lendemain matin, en passant devant le bureau de papa, j'ai été alerté en entendant trois mots : « Charlotte », « danger », « congédiée ». Papa discutait avec notre majordome et la porte était mal fermée.

Je suis revenu sur mes pas pour mieux entendre.

— Elle n'est pas seulement étrange : elle est dangereuse ! disait Fesses Pincées. Les enfants sont plus nerveux, moins attentifs. Et les professeurs réagissent très mal à la présence de cette nouvelle gouvernante.

—C'est dommage, a répliqué papa. Elle a quelque chose de… Je ne sais pas comment l'expliquer, mais elle me plaît malgré tout.

—C'est à vous de décider, a lancé Fesses Pincées, mécontent.

—Mon premier souci, c'est l'éducation de mes enfants, a déclaré papa. Si cette gouvernante n'y contribue pas, il faut la renvoyer. Donnons-nous quelques jours pour y penser.

J'ai filé juste à temps ! Fesses Pincées a failli m'attraper en flagrant délit d'espionnage lorsqu'il est sorti du bureau.

Les cours du matin se sont déroulés sans incident. Mlle Charlotte s'est surtout occupée de Didi. J'avais du mal à me concentrer depuis que je connaissais les menaces qui pesaient sur notre nouvelle gouvernante.

Au repas du midi, pendant que nous avalions notre potage aux tiges de brocoli en compagnie de Mlle Charlotte, Fesses Pincées a annoncé :

— Nous prendrons le repas du soir dans la salle à dîner, à 19 h pile. Votre gouvernante est invitée. Monsieur et madame désirent la connaître davantage…

Son ton était plein de sous-entendus. J'ai compris que Mlle C. courait un grave danger. Il fallait agir. Vite !

— Réunion à 16 h au grenier, ai-je chuchoté après le départ de Fesses Pincées.

À 16 h, Mlle Charlotte nous attendait avec du smalalamiam.

— On dirait du jus de soleil ! s'est écriée Didi en se léchant les babines après une première gorgée.

J'ai exposé le but de la réunion : aider Mlle Charlotte à ne pas faire de gaffes au cours du repas. J'avais décidé de ne pas rapporter tout de suite la conversation que j'avais entendue pour ne pas l'alarmer.

— Nos parents ont certaines… attentes, ai-je expliqué en espérant que notre gouvernante ne serait pas offensée.

Albert, Didi et moi avons dressé une liste de ce que Mlle Charlotte devait savoir.

Marie a refusé de participer.

— C'est nul ! a-t-elle protesté. Mlle Charlotte devrait faire comme ça lui plaît.

— Et risquer d'être renvoyée ? s'est offusqué Albert.

J'étais bien placé pour savoir que mon frère avait parfaitement raison.

Trente minutes plus tard, nous avons remis à Mlle Charlotte une feuille énumérant les règlements suivants :

Dix règlements à suivre aux grands repas pour ne pas rendre les parents fous

1. *Remercier chaque fois qu'on dépose un plat devant vous, même si c'est dégoûtant.*

2. *Mastiquer lentement, la bouche fermée, sans faire de bruit.*

3. *Dire que c'est délicieux, même si ça goûte affreux.*

4. *Ne jamais toucher à un aliment avec ses doigts, propres ou pas.*

5. *Ne jamais déposer les coudes sur la table, même si on ne sait pas pourquoi.*

6. *Éviter de tousser ou d'éternuer (et, bien sûr, ne jamais roter ni péter).*

7. *Écouter la conversation, même si c'est ennuyeux.*

8. *Parler seulement pour dire quelque chose d'important.*
9. *Ne pas parler de Gertrude.*
10. *Ne pas parler à Gertrude.*

Mlle Charlotte a lu la liste silencieusement. J'avais peur qu'elle refuse d'appliquer tous ces règlements.

— Formidable ! s'est-elle exclamée. C'est comme une course à obstacles. Pour gagner, il faut éviter les gaffes, n'est-ce pas ?

J'ai hoché la tête en même temps que Marie, Didi et Albert. Mlle Charlotte n'en finissait pas de nous surprendre.

-11-

Sept trésors

— **T**rois minutes, a fait remarquer Fesses Pincées
en consultant l'horloge
grand-père de la salle à dîner.

Un lourd silence s'est abattu
sur nous. J'étais inquiet. Mes sœurs
et mon frère aussi, ça se voyait à
leur mine sombre. Mlle Charlotte
avait effectivement trois minutes
de retard.

Dans ma tête, j'ai écrit : *onzième
règlement : toujours arriver à l'heure.*

— Cinq minutes ! a déclaré notre
majordome.

— Ce n'est pas la fin du monde !
a protesté Marie.

—La ponctualité est la première politesse, a rappelé papa.

Marie a poussé un soupir qui en
disait long.

—Dix minu… a commencé
Fesses Pincées au moment où
Mlle C. faisait son entrée dans la
grande salle à dîner.

Du coup, l'atmosphère a changé. C'était comme si un grand vent
d'été avait soufflé dans la pièce.
Mlle Charlotte tenait un gigantes-
que bouquet de fleurs des champs.

—Je suis arrivée un peu à l'avan-
ce et j'ai remarqué qu'il n'y avait
pas de fleurs sur la table, a-t-elle expliqué, joyeuse. Alors j'ai pensé…

—Que c'est joli! s'est exclamée maman, ravie.

Fesses Pincées s'est levé de
table pour aller chercher un vase,
mais on voyait que cette histoire
de fleurs l'énervait royalement.

Mlle Charlotte s'est installée à la dernière place libre, juste devant mes parents. C'est là que j'ai noté qu'elle avait toujours son immense chapeau sur la tête. Aussitôt, j'ai pensé : *douzième règlement : ne jamais prendre place à table avec un chapeau.*

À mon grand soulagement, Mlle Charlotte a soulevé son chapeau et l'a déposé sur ses genoux. Au même moment, Marie, Albert, Didi et moi avons échangé un regard catastrophé.

Gertrude était sur la tête de Mlle Charlotte !

Notre gouvernante l'a cueillie doucement et l'a déposée près de son couvert. Maman avait la bouche grande ouverte. Papa avait les yeux ronds comme des roues de camion.

Heureusement, Marie a eu une inspiration.

— Mlle Charlotte nous a raconté que dans certains pays, la politesse exige que chacun dépose un objet sur la table. Un porte-bonheur ou un petit souvenir…

Aussitôt, Didi a sorti un bouton rose de sa poche et l'a placé sur la nappe. Du coup, Albert a posé sa calculette de poche. Marie nous a surpris en laissant tomber une médaille. La médaille de Brutus ! Je ne savais pas qu'elle la gardait toujours avec elle.

Tout ce que j'avais sur moi, à part mes vêtements, c'était le bout de papier sur lequel j'avais noté : *Double Salto* suivi du numéro de téléphone.

J'ai rougi malgré moi en le déposant sur la nappe.

—On dirait des trésors, a murmuré maman d'une voix que je ne lui connaissais pas. Quelle belle coutume vous nous enseignez là, Mlle Charlotte.

Maman a glissé une main dans sa tignasse rousse et en a retiré une très jolie épingle.

—C'est un souvenir de ma mère, a-t-elle confié avec émotion.

Papa la contemplait. Dans ses yeux, on pouvait lire qu'il l'aimait.

—Voilà ! a déclaré papa en sortant une bille de verre de sa poche.

Papa nous a raconté que c'était son porte-bonheur. Il l'avait avec lui depuis l'âge de cinq ans. Ça m'a fait tout drôle d'imaginer mon père enfant.

Tous les regards étaient maintenant tournés vers notre majordome.

—Je n'ai absolument rien à montrer, a-t-il déclaré avec humeur.

—Tut! tut! tut! Vous avez sûrement un secret à nous révéler, a soutenu Mlle Charlotte en fixant Fesses Pincées d'une étrange manière.

M. Bousille a rougi. Comme si notre gouvernante avait vu à travers lui!

-12-

B12z1744x

Entre le gratin de petits pois et le couscous au tofu, papa s'est adressé à Mlle Charlotte :

— Saviez-vous que mon épouse recevra bientôt le Grand Prix mondial d'astrophysique ?

— Maman a étudié le mouvement des étoiles et elle a fait des calculs mathématiques très savants, a expliqué Albert.

— Et c'est comme ça qu'elle a découvert une nouvelle planète ! a ajouté Didi.

—Une nouvelle planète ! Ooooh ! Que c'est beau ! Félicitations ! Bravo ! s'est écriée Mlle Charlotte en applaudissant avec ferveur.

À notre grande stupéfaction, notre gouvernante s'est précipitée vers maman et elle l'a embrassée sur les joues en poussant des cris de joie. De telles manifestations sont plutôt rares, chez nous…

Maman a paru émue. Et elle a ri ! C'est vrai que l'enthousiasme de Mlle Charlotte était contagieux.

—Comment s'appelle votre planète ? a voulu savoir Mlle Charlotte une fois de retour à sa place.

—B12z1744x, a répondu maman.

Notre gouvernante a baissé les yeux. Elle était visiblement très déçue.

— C'est un simple code d'identification, s'est défendue maman.

— Le comité astronomique n'aurait pas accepté un nom excentrique, a fait valoir Fesses Pincées.

— Peut-être... Mais votre planète mérite un bien plus joli nom, a soutenu Mlle Charlotte.

— Je crois que vous avez raison, a admis maman.

Notre majordome s'est renfrogné. Il semblait jaloux de notre gouvernante.

Papa a lancé une nouvelle discussion.

— Vous avez sûrement remarqué, chère Mlle Charlotte, que chacun de nos enfants porte le prénom d'une personnalité que nous admirons beaucoup. Puis-je vous demander quel est votre personnage historique préféré ?

Mlle Charlotte a réfléchi inten-
sément avant de répondre :

— La Belle.

Mes parents ont échangé un regard embarrassé. Ils ne semblaient
pas connaître ce personnage. Moi
non plus, d'ailleurs.

— Dans quel pays est-elle née
et à quel siècle ? a demandé papa.

Fesses Pincées a éclaté de rire.

— C'est un personnage de conte.
La Belle et la Bête ! Ils en ont fait
un film pour enfants… a-t-il expliqué sur un ton méprisant.

Un silence glacial a envahi la
pièce. Papa et maman observaient
Mlle Charlotte comme si elle souf-
frait d'une maladie grave.

— La Belle est un personnage
créé par Mme Jeanne-Marie Le-
prince de Beaumont au 18e siècle,
a déclaré Albert. Je l'ai appris au
hasard dans une encyclopédie. Le

conte *La Belle et la Bête* est consi-
déré comme une œuvre magis-
trale… qui a marqué l'histoire de
l'humanité, a-t-il ajouté.

Nos parents ont semblé mieux
respirer. Jusqu'à ce que Mlle Charlotte ajoute :

—J'ai aussi beaucoup d'admi-
ration pour la fée Clochette.

Une fée ! Notre majordome a
arboré un sourire triomphant. Mes
pauvres parents semblaient décou-
ragés.

-13-

Stupéfiant!

Avant de monter à ma chambre ce soir-là, j'ai fait un détour par la bibliothèque. C'était le meilleur endroit pour téléphoner en secret.

J'ai composé le numéro de l'école de cirque. Le petit papier était dans ma poche, mais je connaissais le numéro par cœur. La dame au bout du fil m'a informé que je devais obtenir l'autorisation écrite de mes parents pour m'inscrire.

— Pas de problème ! ai-je menti.

— Faites vite alors, car il ne reste qu'une seule place.

Mon cœur a fait un saut périlleux. Une seule place ?

Il fallait qu'elle soit à moi !

▲ ▼ ▲

À minuit, pendant que tout le monde dormait, je suis retourné à la bibliothèque et j'ai imprimé le formulaire d'inscription disponible sur le Web. Je l'ai rempli, puis j'ai imité la signature de papa au bas de la feuille. Il ne me restait plus qu'à le livrer le plus rapidement possible.

En relevant la tête, j'ai échappé un cri. Mlle Charlotte était à côté de moi. Elle m'observait.

— Tu es sûr que tes parents refuseraient ? Tu crois vraiment qu'ils ne comprendraient pas ? m'a-t-elle demandé.

J'ai fait oui de la tête. Puis, j'ai plié le formulaire et je l'ai mis dans ma poche. J'étais un peu honteux, mais je ne voyais pas comment faire autrement.

J'allais partir lorsque notre gouvernante m'a surpris avec une question :

— Peux-tu m'aider à utiliser l'ordinateur ? Je n'ai pas beaucoup l'habitude…

Nous nous sommes installés devant un écran.

— J'ai une énigme à résoudre, m'a confié Mlle Charlotte sur un ton mystérieux.

Au début, Mlle Charlotte était poche. On aurait dit que c'était la première fois qu'elle se promenait sur le Web. Toutefois, elle apprend vite. Très vite.

Trente minutes plus tard, nous avons fait une découverte stupéfiante.

-14-

Jeune génie

L e lendemain matin, au petit-déjeuner, Mlle Charlotte s'est éclipsée pendant que notre cuisinière nous servait des œufs pochés aux épinards. Nous en avons profité pour discuter.

— Vous croyez qu'ils vont la renvoyer ? s'est inquiétée Didi.

Albert a hoché gravement la tête.

— Oui, s'est indignée Marie. Et simplement parce qu'elle croit aux fées ! C'est vraiment nul !

Didi se frottait les yeux pour ne pas pleurer. Elle n'était pas la seule à être triste. Aucun de nous n'avait envie de vivre sans Mlle C.

—Tadam ! a lancé notre gouvernante en réapparaissant tout à coup avec une bouteille remplie de liquide verdâtre. C'est mille fois meilleur que le ketchup, vous allez voir…

Chacun de nous a ajouté un peu de sauce mystère à ses œufs pochés. C'était délicieux !

—Qu'est-ce qu'il y a dedans ? a demandé Albert, la bouche pleine.

—Plein de bonnes choses, a répondu Mlle Charlotte avec un sourire espiègle.

L'atmosphère était à la fête lorsque Fesses Pincées a fait brusquement irruption.

—J'ai le plaisir de vous annoncer que vos parents souhaitent que vous participiez à la grande finale régionale du concours « Jeune génie scientifique ». Monsieur votre père vous propose un programme d'études préparatoire qui commence dès aujourd'hui.

— Mais… c'est samedi ! a protesté Marie.

Fesses Pincées a poursuivi son discours en ignorant complètement Marie.

— Vous trouverez un fichier préparé par votre père dans votre ordinateur. Votre gouvernante est censée assister votre jeune sœur. Si elle en est capable… a-t-il ajouté, sarcastique, avant de disparaître.

En colère, Marie a lancé sa serviette de table contre le mur.

— De quoi s'agit-il exactement ? s'est informée Mlle C.

— Ils veulent qu'on étudie jour et nuit pour se farcir la cervelle de données scientifiques afin de gagner un concours, a bougonné Marie, découragée.

—Je pourrais peut-être t'aider, a proposé Albert. J'aime bien les concours, moi…

C'est là que Marie a explosé :

—Toi, c'est toi ! Moi, c'est moi ! a-t-elle répliqué rageusement en quittant la table.

Peu après, nous avons entendu la porte de sa chambre claquer.

—Tu veux bien aller lui parler ? a demandé Didi à Mlle C.

—Surtout pas ! a refusé notre gouvernante. Marie est très occupée. Il ne faut pas la déranger.

—Occupée à quoi ? s'est étonné Albert.

—À réfléchir, a répondu Mlle Charlotte.

—Et nous ? On fait quoi ? ai-je voulu savoir.

—Le message de papa est clair. Il faut se mettre au travail, a fait valoir Albert.

Je pensais à la fiche d'inscription dans ma poche en me disant que j'avais été bien fou de m'imaginer artiste de cirque.

—Vos parents m'ont chargée de coordonner vos activités, a déclaré notre gouvernante d'un ton décidé. Et je crois que vous avez un devoir très important à faire.

Mon cœur a pris l'ascenseur. Mlle C. se rangeait donc du côté des parents ! J'étais terriblement déçu.

—Quel devoir ? a demandé Didi.

—Il est grand temps que vous appreniez à rêver, a répondu notre gouvernante.

-15-

Tout un devoir!

Au moment même où Mlle C. prononçait ces mots, le ciel s'est déchaîné. Une pluie torrentielle s'est mise à tomber. Il y a eu du tonnerre, des éclairs et… une panne d'électricité. Nous avons tous eu la même idée : rendez-vous au grenier !

J'ai aidé Mlle Charlotte à allumer les bougies. Dehors, le chien du voisin jappait.

— Il a peur de l'orage, a expliqué Marie.

Albert a haussé les épaules, l'air de dire qu'on n'y pouvait rien.

—Comment s'y prend-on pour rêver ? a-t-il demandé à Mlle C..

Mon jeune frère semblait peu intéressé. Il aurait sans doute préféré commencer tout de suite à étudier pour remporter le concours du Jeune génie scientifique.

—C'est facile. Tu ne fais rien, a répondu Mlle C.

—Vous êtes en train de me dire que mon devoir de la journée c'est de ne *rien* faire ?

—Bravo ! Tu as très bien compris, s'est exclamée notre gouvernante.

Je croyais que ce serait facile. Ouille ! C'est fou comme c'est difficile de ne rien faire du tout. Ni parler, ni piocher sur un clavier, ni lire, ni étudier, ni compter, ni bouger… Juste rêver.

Mlle Charlotte nous a aidés.

—Imaginez-vous dans un lieu que vous aimez. Réglez le soleil, la température, le vent. Installez-vous confortablement… Laissez les rêves vous envahir. Devenez qui vous voulez. Tout est possible. Tout est permis…

Je me suis inventé un grand chapiteau. Un costume. De la musique. Un numéro avec des sauts, des pirouettes, des rattrapages fabuleux…

Au début, j'avais du mal. Puis, peu à peu, les images se sont précisées dans ma tête. C'était beau. C'était merveilleux. J'étais devenu acrobate. Mes mouvements s'enchaînaient parfaitement. J'étais léger comme une plume et fort comme un géant.

Les applaudissements de la foule crépitaient. Du tremplin, j'ai bondi encore plus haut. J'ai attrapé le trapèze et j'ai réalisé mon plus grand rêve : un triple salto arrière.

La foule était en délire.

Après, je me suis mis à rêvasser à des solutions pour arriver à m'inscrire à l'école de cirque. Mlle Charlotte m'accorderait sûrement la permission d'aller moi-même livrer le formulaire d'inscription. Les bureaux de Double Salto sont à 2,3 kilomètres de chez moi selon le plan que j'ai consulté à l'ordinateur. Ça tombait bien car je devais agir rapidement.

Soudain, mes rêves m'ont entraîné ailleurs et j'ai imaginé une solution totalement différente.

Une solution toute simple, mais qui pouvait peut-être fonctionner.

-16-

Vol et disparition

Lorsque nous sommes descendus du grenier, plusieurs heures après le début de l'orage, papa était en grande conversation avec Mlle Anastasie au salon. Elle semblait très énervée.

Fesses Pincées est arrivé en même temps que nous.

—L'argent de la petite caisse de la cuisine a disparu ! nous a appris notre cuisinière. J'allais sortir pour acheter quelques provisions, j'ai ouvert le tiroir… et j'ai découvert qu'il était vide.

Papa et Fesses Pincées se sont tournés vers Mlle C.

—Où étiez-vous ce matin ? l'a questionnée papa.

—Avec nous ! ai-je répondu.

J'étais furieux que Mlle C. soit soupçonnée de vol.

—Tout le temps ? Elle ne s'est pas absentée ? a insisté Fesses Pincées.

—On a beaucoup rêvé, puis on s'est endormis, a raconté Didi sans réfléchir.

—Aaaah ! Votre gouvernante aurait donc pu s'absenter ! a rétorqué notre majordome, triomphant.

—Vous n'avez pas le droit de l'accuser ! a protesté Albert.

—C'est injuste ! ai-je ajouté.

—Et méchant ! s'est exclamée Didi.

Soudain, une voix derrière nous a retenti :

—ON S'EN FOUT !

C'était maman. D'habitude, elle ne parle pas comme ça.

— On se fout de cet argent, il y a plus important, a-t-elle lancé. Marie a disparu !

-17-

Moi, c'est moi!

J'ai raconté à nos parents la colère de Marie.

— Je n'avais pas exigé que les enfants commencent à étudier immédiatement ! a protesté papa en lançant un regard irrité à Fesses Pincées.

Notre majordome s'est défendu en prétextant qu'il croyait que c'était mieux de s'y mettre rapidement. Puis il a ajouté sournoisement que Marie était sous la supervision de notre nouvelle gouvernante au moment de sa fugue.

—Qu'avez-vous à répondre ? a demandé papa en cherchant Mlle Charlotte des yeux.

C'est alors que nous avons constaté que Mlle Charlotte n'était plus là.

—Voilà qui ressemble à un aveu de culpabilité, a affirmé Fesses Pincées.

—Tout ce qui compte, pour l'instant, c'est de retrouver Marie, a déclaré papa en composant le 9-1-1.

Quelques minutes plus tard, deux policiers sont arrivés. Ils ont promis d'amorcer les recherches immédiatement en commençant par « les lieux que fréquentent normalement les adolescents ». Papa a insisté pour les accompagner.

J'avais du mal à imaginer Marie dans « les lieux que fréquentent normalement les adolescents ».

Quelques heures plus tôt, elle avait crié : « Moi, c'est moi ! » Ces mots m'avaient touché.

Dehors, la pluie avait cessé de tomber. Tout était étrangement silencieux.

Soudain, j'ai compris ! Je ne savais pas exactement où était Marie, mais je devinais ce qu'elle faisait. Elle s'était probablement sauvée parce qu'elle croyait que nos parents n'approuveraient jamais son geste.

Du coup, des paroles de Mlle C. me sont revenues à l'esprit.

« Tu es sûr que tes parents refuseraient ? Tu crois vraiment qu'ils ne comprendraient pas ? »

Ma sœur avait fui, mais il existait peut-être d'autres façons d'agir. Même si le succès n'était pas assuré, il fallait que j'essaie. Pour moi, pour Marie, pour Didi, et peut-être même pour Albert aussi.

J'aurais pu affronter ma mère tout de suite, mais je redoutais sa réaction. À la place, je me suis retiré dans ma chambre et j'ai écrit une lettre à mes parents.

Chers parents,

Je sais que vous nous aimez et que vous souhaitez le meilleur pour vos enfants. Mais chacun de nous est différent.

Je n'ai pas envie de ressembler à Alexandre Graham Bell, le héros que vous m'avez choisi. Il a fait de grandes choses, mais je ne suis pas comme lui.

Mon rêve à moi, c'est de devenir artiste de cirque. J'y pense jour et nuit. Ça me rendrait heureux et, en même temps, je pourrais mettre un peu de spling dans la vie des gens.

Mlle Charlotte est une championne du spling. Albert est un génie scientifique. Didi deviendra peut-être dessinatrice de mode. Marie aussi a un rêve. Et un don bien particulier. Laissez-la vous en parler.

Mlle Charlotte l'avait deviné, je crois, parce qu'elle sait lire dans le cœur des gens.

Ce n'est pas elle qui a volé l'argent. J'en suis sûr.

Votre fils qui vous aime,
Alexandre

-18-

Le rêve de Marie

Maman a lu ma lettre devant moi. À la fin, elle pleurait. Elle n'a rien promis tout de suite, mais elle m'a serré très fort dans ses bras. C'était bon.

Je n'étais pas vraiment inquiet pour Marie. Je me demandais surtout où était passée Mlle C. Fesses Pincées s'était retiré dans sa chambre. Une chance ! Sinon, je lui aurais dit des atrocités.

Au lieu de travailler dans son bureau, maman a joué à un jeu de société avec nous en attendant le retour des policiers. Mlle Anastasie nous a préparé un goûter, car nous n'avions rien avalé depuis le petit-déjeuner. En fait, aucun de nous n'y a vraiment touché.

Il était 19 heures lorsque la porte d'entrée s'est enfin ouverte. Nous nous attendions à voir Marie encadrée par des policiers. À la place, une grosse bête noire a foncé sur nous.

Marie était derrière, suivie de Mlle Charlotte.

Ma sœur ne se trouvait pas dans les lieux que fréquentent normalement les adolescents, comme les arcades ou les cinémas. Elle était allée libérer le chien du voisin. C'était son souhait le plus pressant. Marie adore les animaux et elle n'en pouvait plus d'entendre la pauvre bête se lamenter.

—Ce chien me faisait penser à moi, nous a-t-elle expliqué. Je savais qu'il était malheureux…

Mlle Charlotte les a retrouvés dans un grand parc pas tellement loin d'ici. Pour faire plaisir à son protégé, Marie l'avait laissé courir à volonté.

—Quel est ton rêve, Marie ? a demandé maman lorsque Mlle Charlotte a eu fini de raconter ce qui était arrivé.

Marie n'osait pas l'avouer. Maman l'a encouragée.

—Je voudrais élever des chiens, a finalement répondu ma sœur. J'en ferais des guides pour les aveugles ou encore des champions à la course de traîneaux. Ça dépendrait d'eux…

Didi a applaudi. Mlle Charlotte aussi. Elles avaient raison. Marie s'était inventée un très beau rêve, parfait pour elle. Un rêve qui pouvait être réalisé.

Peu après, Papa est arrivé, flanqué des policiers. Son visage s'est éclairé lorsqu'il a vu Marie.

Il ne l'a même pas grondée. Il l'a seulement pressée très fort contre lui.

La soirée avait été drôlement mouvementée. Personne n'a été surprise lorsque Didi a déclaré :

— J'ai faim !

Albert a suggéré qu'on mange des crapoutis. Mlle Charlotte pouvait nous aider à les préparer.

C'est à ce moment-là que nous avons découvert que Mlle Charlotte nous avait quittés.

-19-

Le secret de Basile Bousille

Mlle Charlotte m'avait averti:

— Lorsque le temps sera venu de révéler notre découverte, tu le sauras, Alexandre.

Le temps était venu. J'ai raconté à mes parents ce qu'avait appris Mlle C. en enquêtant sur le Web.

C'est un peu difficile à croire, mais Basile Bousille a longtemps rêvé d'être chanteur. Malheureusement, il a été hué à son premier spectacle et il a tout abandonné. Mlle Charlotte a retrouvé un article très dur écrit par un journaliste sans pitié. Depuis son échec, Basile Bousille en veut au monde entier et tout particulièrement à ceux qui réalisent leurs rêves et qui sont heureux.

— Je suis certain que c'est lui qui a volé l'argent ! ai-je conclu. Il voulait que Mlle C. soit accusée. Il la déteste plus que n'importe qui parce qu'elle est rayonnante. Elle est… le contraire de lui !

Marie, Albert et Didi me regardaient comme si je venais d'être élu président des États-Unis. Papa et maman réfléchissaient très fort en fronçant les sourcils.

Tout à coup, une voix nous a fait sursauter. C'était Fesses Pincées. Il se tenait debout à l'entrée du salon. Il avait l'air misérable.

— Alexandre a raison, c'est moi qui ai pris l'argent, a-t-il admis. Je voulais que M. Humbert renvoie Mlle Charlotte. Je suis un chanteur raté et un majordome pourri. Je vous remets ma démission.

Épilogue

Bien des choses ont changé depuis le passage de Mlle C. dans nos vies. D'abord, nous avons un chien. En fait, c'est une femelle. Nous l'avons nommée La Belle, en souvenir de Mlle Charlotte. Nos voisins étaient heureux de trouver un foyer pour cette pauvre bête qu'ils n'auraient jamais dû adopter.

Je commence mes cours de cirque dans trois jours. J'ai tellement hâte ! Papa a accepté à condition que mes résultats scolaires n'en souffrent pas. En plus de s'occuper de La Belle, Marie est bénévole tous les samedis dans un refuge pour chiens abandonnés. Didi dessine des robes de princesse de plus en plus élaborées. Maman se dit impressionnée. Albert lit et étudie autant qu'avant, mais il joue aussi aux échecs avec papa et au Monopoly avec Didi.

Fesses Pincées est encore avec nous.

— Il me semble que c'est ce qu'aurait souhaité Mlle C., nous a expliqué papa.

Basile Bousille prend des cours de chant. Il est beaucoup plus gai qu'avant. C'est lui qui remplace Mlle Charlotte ! Il a enfin compris qu'il est là pour nous aider, pas pour nous mener par le bout du nez. De plus, il s'est pris d'affection pour La Belle. Marie souhaite qu'on adopte un deuxième chien, un mâle qui s'appellerait La Bête.

Et Fesses Pincées milite en sa faveur.

Mlle Anastasie a modifié un peu nos menus. Tous les jeudis, nous mangeons des crapoutis. Papa adore ça, mais il n'a pas encore osé en servir à ses distingués invités. Albert multiplie les expériences pour trouver la recette du smalalamiam et de la sauce secrète verte.

Honnêtement, tout est beaucoup mieux qu'avant, mais on s'ennuie tous de Mlle C. Depuis qu'elle nous a appris comment, je me laisse souvent aller à rêver. Et parfois, c'est à Mlle Charlotte que je rêve. Je la revois faisant une grimace, lisant un livre à l'envers, apportant des fleurs, inventant une histoire, embrassant maman ou éclatant de rire. Ça me fait sourire.

Quelque chose me dit qu'un jour, elle va revenir. Je ne sais pas quand. Mais je l'attends.

As-tu lu les autres titres de la série Charlotte ?

La Nouvelle Maîtresse

Ce matin-là, toute la classe était silencieuse. On aurait entendu un petit pois rouler sur le plancher. Puis dans le corridor, clop... clop... clop... un drôle de bruit de pas. Soudain, la porte s'est ouverte et une étrange vieille dame, très grande et très maigre, est apparue. Avec un chapeau bizarre et une vieille robe de soirée pour costume. C'était elle : Charlotte l'échalote, notre nouvelle maîtresse.

PALMARÈS COMMUNICATION-JEUNESSE, 1RE POSITION (CATÉGORIE 9 À 12 ANS)

La Mystérieuse Bibliothécaire

La bibliothèque où l'extravagante Mlle Charlotte travaille maintenant est pleine d'araignées et de crottes de souris. En plus, les livres qui s'y trouvent sont ennuyants comme la pluie. Il faut faire quelque chose ! Mlle Charlotte mettra en application des tonnes d'idées farfelues pour transformer sa bibliothèque en un véritable coffre aux trésors et donner aux jeunes le goût de lire.

PALMARÈS COMMUNICATION-JEUNESSE, 1RE POSITION (CATÉGORIE 9 À 12 ANS)
PRIX DU LIVRE M. CHRISTIE (CATÉGORIE 8 À 11 ANS)

Une bien curieuse factrice

Après s'être improvisée enseignante, puis bibliothécaire, Mlle Charlotte offre ses services comme factrice aux habitants du village de Saint-Machinchouin. Mais elle ne se contente évidemment pas de distribuer le courrier! Avec sa pétillante complice Léonie, elle se donne une nouvelle mission... Et tout le village se retrouve sens dessus dessous!

PALMARÈS COMMUNICATION-JEUNESSE, 1RE POSITION (CATÉGORIE 9 À 12 ANS)

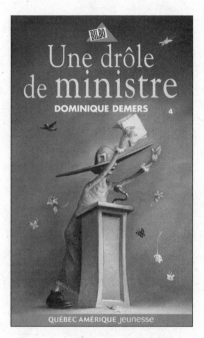

Une drôle de ministre

Mlle Charlotte échange par mégarde son sac en poil d'éléphant avec celui du premier ministre Roger Rabajoie. Aidée du fils de celui-ci, mademoiselle Charlotte se lance sur les traces du politicien pour récupérer son sac. Mais voilà qu'elle découvre que le premier ministre s'apprête à dévoiler une nouvelle politique d'éducation des enfants totalement désastreuse...

PALMARÈS COMMUNICATION-JEUNESSE, 1RE POSITION (CATÉGORIE 9 À 12 ANS)

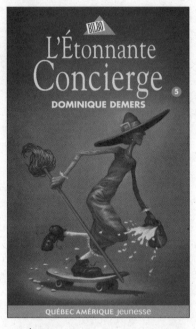

L'Étonnante Concierge

Mlle Charlotte vient de décrocher un emploi parfait : concierge. Avec toutes ces tuiles à frotter, elle aura tout le temps rêvé… pour rêver ! En plus, son nouvel emploi lui permettra d'économiser le prix du billet d'autobus pour aller enfin retrouver sa Gertrude adorée. Parions que Charlotte, fidèle à elle-même, ne fera rien comme tout le monde et qu'elle ne sera pas une concierge ordinaire…

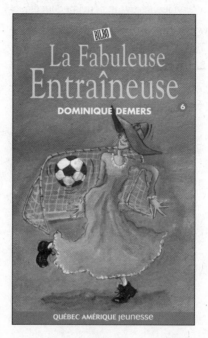

La Fabuleuse Entraîneuse

D'habitude, les entraîneurs de soccer observent, critiquent…
il y en a même qui engueulent ceux qui font des erreurs.
Mais jamais Mlle Charlotte. Avec ses étonnantes méthodes
d'entraînement, son *spling* et son smalalamiam, la nouvelle
entraîneuse a de quoi surprendre ! Saura-t-elle mener
l'équipe de l'Anse-aux-Canards à la victoire ?

GREAT BOOKS AWARD – TITRE RECOMMANDÉ
PAR LE CONSEIL D'ÉVALUATION DES JOUETS

Fiches d'exploitation pédagogique

Vous pouvez vous les procurer sur notre site Internet
à la section jeunesse / matériel pédagogique.

www.quebec-amerique.com

OCT 7 - 2013 B

Achevé d'imprimer au Canada sur les presses
de Worldcolor Saint-Romuald.

Imprimé sur du papier Enviro 100% postconsommation,
traité sans chlore, accrédité Éco-logo et fait à partir de biogaz.

GARANT DES FORÊTS
INTACTES | L'impression de cet ouvrage sur papier recyclé a
permis de sauvegarder l'équivalent de 37 arbres de
15 à 20 cm de diamètre et de 12 m de hauteur.